David Steindl-Rast
Balts Nill

Der Fließweg

DAVID STEINDL-RAST
BALTS NILL

Der Fließweg

道

Gedanken zum Daodejing des Laozi

Tyrolia-Verlag · Innsbruck-Wien

Inhalt

Ein verborgener Schatz

Einen verborgenen Schatz entdecken – was kann spannender sein? In unserer Fantasie gibt es kaum etwas Mitreißenderes. Und wenn wir tatsächlich eine solche Überraschung erleben dürfen, dann ist das ein Höhepunkt des Lebens.

Mir ist dieses Geschenk zuteil geworden beim Lesen von Balts Nills Übertragung des chinesischen Weisheitsbuches Daodejing ins Berndeutsche. Noch jetzt läuft es mir kalt über den Rücken, wenn ich mich an den ersten Eindruck erinnere: die Kraft der Sprache, die Klarheit der Bilder, die Tiefe der Einsichten, die sich da entfalteten, überkamen mich mit einer Art von Schauder – fast wie ein Erschrecken vor dem Übergroßen.

Das Daodejing soll nach der Bibel das am weitesten verbreitete und am öftesten übersetzte Buch sein. Den dritten Platz hält „Das Kapital“ von Karl Marx. Mir waren viele verschiedene Übersetzungen des Daodejing bekannt, alle aber ließen mich beim Lesen eine gewisse Hoffnungslosigkeit spüren, dem Originaltext trotz aller Bemühung auch nur halbwegs nahe zu kommen. Ganz anders bei der Übersetzung von

Balts Nill, die 2020 unter dem Titel „vo wäge do“ im Berner Lokwort-Verlag erschienen ist. Da wehte mich eine Frische an wie Bergluft am Morgen.

Wer möchte eine solche Freude nicht so schnell wie möglich mit seinen Freunden teilen? Der Gedanke war naheliegend, den berndeutschen Text auf Hochdeutsch wiederzugeben. Dem steht freilich die dichterische Leistungsstufe im Weg, die Balts' Sprache erreicht. Das Eigentliche an Dichtung wurde ja sogar definiert als das, „was beim Übersetzen verlorengeht“. Trotzdem, wenigstens versuchen wollte ich es in meiner Begeisterung.

Während also Balts Nill mit seiner Dialektübertragung eine Annäherung an den chinesischen Urtext versuchte – er stützte sich dabei auf mehrere verschiedene Übersetzungen und eine textkritische Ausgabe –, war meine Aufgabe nur diese: seine Worte nun auch in deutscher Schriftsprache verfügbar zu machen. Dabei habe ich mich so eng wie möglich an den berndeutschen Text gehalten, auch wenn Satzbau und Zeichensetzung manchmal eigenwillig erscheinen mögen. Als Musiker hat Balts ein feines Ohr für Sprachmelodie und Rhythmus, die beide viel zum Verständnis beitragen, ohne dass wir uns ihrer Wirkkraft bewusst werden. Es war oft gar nicht leicht, der Wucht des Berndeutschen im Hochdeutschen in etwa gerecht zu werden, und ich bin Balts Nill dankbar für seine Geduld bei unserer gemeinsamen Arbeit an manchen schwierigen Stellen.

Meine Freude an diesen Texten ist dabei immer wieder übergeflossen in kurze Erwägungen, die ich den einzelnen Abschnitten anfügte. Sie sind nicht wissenschaftliche Kommentare, sondern ein Echo meiner eigenen, jüdisch-christlichen Spiritualität auf Aussagen des Daodejing. Dieses Echo kam zugleich von meiner tiefsten angeborenen Religiosität. Mir scheint, dass diese uns Menschen gemeinsame Ur-Religiosität im frühen DAOismus mit besonderer Kraft und Klarheit zum Ausdruck kommt.

Ich vergleiche diese menschliche Ur-Religiosität gerne mit einer unterirdischen Wasserader, die jede der verschiedenen Religionen mit ihrem eigenen Brunnen anzapft. Das Wasser ist ein und dasselbe, die Brunnen aber sind sehr verschieden. Oft sind sie aufwendig, prunkvoll und ornamentreich. Der DAOismus, auf den wir im Daodejing stoßen, ist im Vergleich dazu ein schlichter Holztrog am Wegrand.

Möge dieses Buch allen, die darin lesen, manchen erfrischenden Trunk schenken und vielleicht sogar einen Widerschein meiner eigenen freudigen Überraschung bei der Entdeckung einer solchen Schatztruhe.

David Steindl-Rast, Weggis (CH), am 8. Juni 2023

Legende von der Entstehung des Buches Taoteking auf dem Weg des Laotse in die Emigration

1
Als er siebzig war und war gebrechlich
drängte es den Lehrer doch nach Ruh
denn die Güte war im Lande wieder einmal
schwächlich
und die Bosheit nahm an Kräften wieder einmal zu.
Und er gürtete den Schuh.

2
Und er packte ein, was er so brauchte:
Wenig. Doch es wurde dies und das.
So die Pfeife, die er immer abends rauchte
und das Büchlein, das er immer las.
Weißbrot nach dem Augenmaß.

3
Freute sich des Tals noch einmal und vergaß es
als er ins Gebirg den Weg einschlug.
Und sein Ochse freute sich des frischen Grases

kauend, während er den Alten trug.
Denn dem ging es schnell genug.

4
Doch am vierten Tag im Felsgesteine
hat ein Zöllner ihm den Weg verwehrt:
„Kostbarkeiten zu verzollen?“ – „Keine.“
Und der Knabe, der den Ochsen führte, sprach:
„Er hat gelehrt.“
Und so war auch das erklärt.

5
Doch der Mann in einer heitren Regung
fragte noch: „Hat er was rausgekriegt?“
Sprach der Knabe: „Dass das weiche Wasser
in Bewegung
mit der Zeit den mächtigen Stein besiegt.
Du verstehst, das Harte unterliegt.“

6
Dass er nicht das letzte Tageslicht verlöre
trieb der Knabe nun den Ochsen an
und die drei verschwanden schon um eine
schwarze Föhre
da kam plötzlich Fahrt in unsern Mann
und er schrie: „He, du! Halt an!

7

Was ist das mit diesem Wasser, Alter?"
Hielt der Alte: „Intressiert es dich?"
Sprach der Mann: „Ich bin nur Zollverwalter,
doch wer wen besiegt, das intressiert auch mich.
Wenn du's weißt, dann sprich!"

8

Schreib mir's auf! Diktier es diesem Kinde!
So was nimmt man doch nicht mit sich fort.
Da gibt's doch Papier bei uns und Tinte
und ein Nachtmahl gibt es auch: Ich wohne dort.
Nun, ist das ein Wort?"

9

Über seine Schulter sah der Alte
auf den Mann: Flickjoppe. Keine Schuh.
Und die Stirne eine einzige Falte.
Ach, kein Sieger trat da auf ihn zu.
Und er murmelte: „Auch du?"

10

Eine höfliche Bitte abzuschlagen
war der Alte, wie es schien, zu alt.
Denn er sagte laut: „Die etwas fragen
die verdienen Antwort." Sprach der Knabe:
„Es wird auch schon kalt."
„Gut ein kleiner Aufenthalt."

11
Und von seinem Ochsen stieg der Weise
sieben Tage schrieben sie zu zweit.
Und der Zöllner brachte Essen (und er fluchte nur
noch leise
mit den Schmugglern in der ganzen Zeit).
Und dann war's soweit.

12
Und dem Zöllner händigte der Knabe
eines Morgens einundachtzig Sprüche ein.
Und mit Dank für eine kleine Reisegabe
bogen sie um jene Föhre ins Gestein.
Sagt jetzt: Kann man höflicher sein?

13
Aber rühmen wir nicht nur den Weisen
dessen Name auf dem Buche prangt!
Denn man muss dem Weisen seine Weisheit
erst entreißen.
Darum sei der Zöllner auch bedankt:
Er hat sie ihm abverlangt.

Bertolt Brecht (1898–1956)

1

Sagst du DAO
verschwindets
gibst du ihm einen Namen
kennst du's schon nimmer

wortlos der Anfang von Himmel und Erde
das Wort weckt zehntausend Wesen

unbegreiflich der Grund
begreiflich nur mehr der Rand

Schweigen und Wort
hüten das Geheimnis
das Geheimnis vom Geheimnis
im Ursprung

„Das Geheimnis vom Geheimnis im Ursprung" ist das Mysterium im Innersten des Seins. Alles – wirklich alles im Sinn eines erfüllten Lebens – hängt von unsrer Beziehung zu diesem Geheimnis ab. Sie beginnt, wenn wir entdecken, dass wir dem Geheimnis gegenüberstehen. Dann führt sie zu Ehrfurcht und kann sich bis zu einer ständigen lebendigen Beziehung zum Großen Geheimnis entfalten.

2

Sagt man schön
meint man auch hässlich
und die Guten sind nur gut
weil die Schlechten so schlecht sind

so ist das was ist
nur durch das was es nicht ist

leicht wäre
nicht ohne schwer
kurz nicht ohne lang
hoch nicht ohne tief
Klang und Ton
formen einander
nachher
kommt
nach vorher

nicht machen nicht tun;
lernen
zu schauen
wie's kommt
und wie's geht

liegen lassen
wachsen lassen
stehen lassen

wer nicht nimmt
und nichts hat
dem kann alles
gestohlen bleiben

Wie groß ist doch die Freiheit dessen, der nichts hat. „Dem kann alles gestohlen bleiben“ und er wird dem Zeug keine Träne nachweinen. Wer würde sich nicht diese Freiheit wünschen? Ich frage mich aber: Bin ich auch wirklich bereit, die Bedingung zu erfüllen und nichts in Besitz zu nehmen? Es nur durch meine Hände fließen zu lassen wie Wasser? Kann ich liegen lassen, wachsen lassen, stehen lassen lernen?

3

Die sich aufspielen
sollen sie's doch
wo Schätze liegen
sind auch Diebe nicht weit
wo's nichts zu gewinnen gibt
gibt's auch nichts zu kämpfen

wunschlos im Herzen
und zufrieden im Bauch
die Knochen fest
die Gedanken im Fluss

wer das hinkriegt
lebt gut

nichts wissen
nichts wünschen
nichts Schlaues tun wollen
nicht dreinfunken wollen
in das was entsteht

„Wunschlos im Herzen“, das lässt sich erlernen. „Zufrieden im Bauch“, das ist ein Geschenk des Lebens, das du und ich unzähligen Menschenkindern wegstehlen. Zugegeben: Wir tun es nicht absichtlich und persönlich; das Wirtschaftssystem ist schuld. Wir aber sind schuld am Wirtschaftssystem: Unsre Selbstsucht funkt unaufhörlich drein in das, was entstehen will. Was will entstehen? Eine heile Welt.

4

DAO
ein leeres Gefäß
für alles was
nicht ist
und doch wirkt's
durch alles und jedes

keine Ahnung
– Himmel –
von wo

Spannend, wie hier in so wenigen Zeilen tiefste Einsichten dargestellt werden: dass DAO nicht etwas Zusätzliches ist zu allem, was es gibt. „Und doch wirkt's durch alles und jedes." Wir können es erahnen als die Ur-Kraft, die alles bewirkt, haben aber „keine Ahnung" von der Ursache seiner Wirkung.* Wie der Himmel alles allumfasst, ist DAO allumfassende Wirklichkeit. Das gibt dem Ausruf „Himmel!" hier tiefen Sinn.

5

Himmel und Erde
sind unmenschlich:
Spielzeug sind für sie
die zehntausend Lebewesen

die höchste Weisheit
ist unmenschlich:
nur Spiel sind für sie
Name und Wort

wie ein Blasbalg:
so füllen sich
leeren sich
Himmel und Erde

wie Luft
die kommt
und geht

Reden und Zählen
machen arm
auf das Maß
kommt es an

„Himmel und Erde sind unmenschlich“ – nicht in der Bedeutung von „grausam“, aber doch grauenerweckend, weil sie auf allen Seiten den Rahmen menschlichen Fassungsvermögens sprengen und das Grauen der Begegnung mit dem Unergründlichen wecken: eine grundlegende Erfahrung und Einsicht, aber nur selten beachtet. Auch unser Anteil an Weisheit ist ein Anteilnehmen an „Un-menschlichem“ im Sinne von Übermenschlichem.

6

Zuunterst
ganz zuunterst
der Ausgang der Schoß
der Eingang
ein Sprung in der Schüssel
eine Wurzel die wächst

„Zuunterst, ganz zuunterst" – hier geht es wieder um den Ursprung von allem. Mit einer Art Hilflosigkeit werden Bilder angehäuft, weil keines ganz heranreicht an das Gemeinte. Das Gemeinsame von Ausgang, Eingang, Schoß und „Sprung in der Schüssel" ist Leerraum. Diese Leere reiner Möglichkeit lockt die unbändige Lebenskraft einer „Wurzel, die wächst" – der Wurzel von allem, was es gibt.

7

Immer da
Himmel und Erde
vergessen sich selber
sind darum immer da

wer zurücktritt
gewinnt Vorsprung
kommt selbstvergessen
zu sich

„Immer da", voll gegenwärtig sein bedeutet nicht, groß auftreten, sondern ganz im Jetzt sein. Dazu gehört aber gerade selbstvergessenes Zurücktreten. Der Vorsprung, den wir dadurch gewinnen, geht über die Zeit hinaus: Wer ganz ins Jetzt findet, steht im zeitlos Bleibenden. Nur im Jetzt lebend kommt der Mensch „selbstvergessen zu sich" und findet dadurch erfülltes Dasein. Wir leben ja zugleich* in Zeit und Ewigkeit.

8

Gutes wirkt
wie Wasser
nützt allem was lebt
bleibt nirgends hängen
fließt auch dorthin
wo nie etwas ist
wo nie jemand hinkommt
so gleicht es
wie nichts sonst
dem Weg

stimmt das Grundstück
gelingt das Bauen
stimmen die Grundsätze
gelingt das Denken
stimmt die Absicht
gelingt das Geschäft

stimmt der Gedanke
gelingt das Reden
stimmt das Recht
gelingt das Gesetz
stimmt das Handwerk
gelingt die Arbeit
stimmt der Augenblick
gelingt das Handeln

wo sich niemand verstrickt
gibt's auch keine Knoten

Hier geht es um die beiden Gegenpole des spirituellen Lebens: Wir können uns einstimmen auf den Augenblick, dann „gelingt das Handeln", denn was wir tun, folgt dem Fließweg des Lebens. Wo aber diese Stimmigkeit fehlt, bleiben wir hängen und verstricken uns in Widersprüchen. Darum heißt es hinhorchen, was das Leben in diesem Augenblick will, und danach handeln. Der Fließweg kennt keine Verknotung.

9

Besser zweimal einschenken
als einmal über den Rand hinaus

eine scharfe Klinge
wird schwächer durch das Schleifen

mit teurem Zeug
zieht auch die Angst mit ins Haus
reich prominent arrogant
garantiert kommt der Absturz

machen was zu machen ist
sich zurückziehen
wirken lassen
so wie der Himmel

„Himmel" steht hier für die Wirklichkeit, die alles umfasst wie der blaue Himmel, aber auch für die ursprüngliche Wirkkraft, die alles bewirkt. Diese Urkraft wirkt verborgen in allem und bewirkt, dass alles sich selber auswirkt. Darauf eingestimmt sein heißt für uns Menschen: „machen, was zu machen ist, sich zurückziehen" und den Anstoß sich auswirken lassen. Denn alles Überflüssige bringt Schwächung, „Angst" und „Absturz".

10

Wie sollst du etwas auf den Punkt bringen
wenn du nicht das Ganze im Auge hast?

wie sollst du zu Kraft kommen
wenn du nicht Hunger hast wie ein Baby?

wie sollst du das Ziel kennen
wenn du nicht zurückblickst zum Anfang?

wie soll einer regieren
der nichts andres kennt als Kniffe und Tricks?

was nützt ein Regen
wenn der Boden steinhart ist?

schlicht und einfach –
nennt's jemand blöd?

die Sachen wachsen lassen
nicht beherrschen wollen
nicht für einen selber
sollen sie wachsen
sondern
für das was sie sind

„Nennt's jemand blöd", das einfache Leben, das hier von immer neuen Seiten beleuchtet wird? Schwer fällt es uns, trotz und gerade wegen seiner Einfachheit, aber „blöd" ist es keinesfalls. Weisheit zielt eben nicht auf Scharfsinn und Spitzfindigkeiten ab, nicht auf „Kniffe und Tricks", sondern auf Lebenskunst. „Wachsen lassen, nicht beherrschen wollen" ist Weisheit, die der Weisung des Lebens selber folgt.

11

Dreißig Speichen
hat das Rad
leer ist die Nabe
um die es sich dreht

der Ton
den der Töpfer formt
schafft Leere

Türen und Fenster
sind leer
darum kann man
wohnen im Haus

Besitz ist was da ist
aber der Nutzen
der kommt von dort
wo nichts ist

Nicht um abstrakte Begriffe wie Sein oder Nicht-Sein dreht es sich hier, sondern ganz konkret um den „Nutzen“, der von dort kommt, „wo nichts ist“ – beim Rad, beim Gefäß, bei Türen und Fenstern. Und das weist wieder ganz konkret darauf hin, was uns von Nutzen ist für geglücktes Tun: das Nicht-Tun – unser wachsames, bescheidenes Zurücktreten, wo der Lauf der Dinge sich eigengesetzlich entfaltet.

12

Buntes Geflimmer macht blind
lautes Getöne macht taub
scharfes Gewürz verbrennt die Zunge
Stress schlägt sich aufs Herz
Ehrgeiz macht kalt

der Körper
nicht das Auge
weiß wann's genug ist

da etwas nehmen
dort etwas lassen
das ist
die ganze Kunst

Auf das rechte Maß kommt alles an. Um dies einzusehen, braucht es wirklich nicht viel. Warum fällt es uns dann so schwer, zu wissen, „wann's genug ist"? Unsere Gesellschaft leidet an einer Mentalität des Mangels. Doch das Leben schenkt uns alles, was wir brauchen, wenn wir gerecht teilen lernen. Wer das einsieht, lernt, dankbar zu leben, und gewinnt zugleich das rechte Maß und das Bewusstsein, aus dem Vollen zu schöpfen.

13

In der Gunst
sitzt die Angst

mit der Ehrung
reitet der Geiz

was heißt das:
in der Gunst sitzt die Angst?

ängstlich hoffet
ängstlich banget
wer von Gunst abhanget

wie reitet der Geiz
mit der Ehrung?

Ehrgeiz reitet
hoch auf dem Ross
kann tief abstürzen

kein Ross
kein Reiter
kein Absturz

der Ehrgeizige
erobert die ganze Welt

der Verliebte gehört ganz der Welt

Ist unser Ziel, dass so viel wie möglich von der Welt uns gehören soll? Oder wollen wir liebend der Welt so viel wie möglich angehören? Den Verliebten wird dieses freudige Angehören frei geschenkt, doch wir können auch bewusst den Preis dafür bezahlen: allen Ehrgeiz aufgeben. Dann hängen wir von niemandes Gunst ab und wir sind frei. Anstatt für uns gewinnen zu wollen, können wir lernen, uns frei zu verschenken.

14

Du schaust
und kannst es doch nicht sehn

du lauschst
und kannst es doch nicht hören

packst zu
und hast doch nichts in der Hand

dreifach unfassbar
versteckt in sich selber

oben nicht hell
unten nicht dunkel

es breitet sich aus
grenzenlos namenlos

verwandelt sich zurück
in das Noch-Nicht
gestaltlose Gestalt
dingloses Ding
unscheinbar
gesichtslos von vorne
formlos von hinten

der alte Pfad
liegt unter der neuen Straße
wer zum Anfang zurückschaut
kann die Richtung erahnen

„Eine Ahnung der Richtung“ ist schon viel, wenn es um Lebensgestaltung geht – Lebensgestaltung nach dem DAO, dem Weg, „dreifach unfassbar, versteckt in sich selbst“. Und was ist nötig, damit wir „die Richtung erahnen“? Nur „wer zum Anfang zurückblickt“, darf hoffen, den Weg zu finden: „Der alte Pfad liegt unter der neuen Straße.“ Unausgesprochenes Stichwort ist Ehrfurcht: Ehrfurcht vor Althergebrachtem.

15

Die alten Meister
haben unsichtbar gewirkt
aus tiefstem Grund
haben sie geschöpft
so tief
dass kein Wort hinabreicht

Bilder geben vielleicht eine Ahnung:

zaghaft wie einer
der einen verschneiten Fluss überquert
voll Vorsicht wie einer
der dem Nachbarn nicht in die Quer kommen will
höflich wie ein Gast in der Fremde
hellhörig wie einer der prüft
ob das Eis noch tragen mag

so sind die alten
Meister gewesen:

rau wie ein Holzscheit
und nicht zu durchschauen
wie schlammiges Wasser

wer aber kann wie die Alten
das Trübe durch Stillhalten

sich selber klären lassen?
und wer kann allein durch die Ruhe
Unrast in Wachstum verwandeln?

wer das Maß kennt
kann zuschauen
wie sich die Neuheiten jagen

der Kern der Sache
bleibt sich immer gleich

„Unscheinbar" war im vorigen Abschnitt eine Wesenseigenschaft von DAO, dem Weg. Hier wird diese Eigenschaft denen zugeschrieben, die den Weg fanden und uns vorangingen: „Die alten Meister haben unsichtbar gewirkt." Die Kunst des Verschwindens* lässt sich erlernen. Schreiende „Neuheiten jagen" einander; sie kommen und gehen, aber „alles, was lange währt, ist leise"**.

16

Geh bis zum äußersten Punkt der Leere
füll dich mit Stille
und du siehst:
das Kommen und das Vergehen
von allem was lebt
auf alle Art

jedes Wesen zieht's zurück
zu seinem Ursprung
der Ursprung ist die Stille
in dir drinnen
im zeitlosen Augenblick

der zeitlose Augenblick
bringt Klarheit
wer den Augenblick verpasst
handelt blind und bringt Schaden

wer in den zeitlosen Augenblick fällt
wird getragen wie ein König
und gleicht dem Himmel
und der ist wie der Weg
wer in den Augenblick fällt
geht nicht verloren

„Wer in den zeitlosen Augenblick fällt", wird aufgefangen und vom Leben königlich auf Händen getragen. Ein solcher Mensch „gleicht dem Himmel" – der einen allumfassenden Wirklichkeit – durch ein Zugehörigkeitsbewusstsein ohne Grenzen. „Wer in den Augenblick fällt, geht nicht verloren", denn er ist ja im Ganzen zuhause. Wir dürfen uns immer wieder vertrauensvoll in den Augenblick fallen lassen.

17

Regiert Weisheit
merkts niemand
regiert ein Meister
herrscht Respekt
regiert ein Führer
kommt Angst auf
regiert ein Stümper
wird gespottet

Kontrolle ist gut
Vertrauen ist besser

wenige Worte
viel Wirkung
wie von selber
regiert sich so das Land

„Kontrolle ist gut", soweit sie Ordnung und Zusammenarbeit gewährleistet. Aber „Vertrauen ist besser", weil es von innen her spontan zustande bringt, was die Kontrolle durch äußeren Einfluss abzustützen versucht. „Wie von selber regiert sich das Land", wo Vertrauen herrscht. Und auch in allen persönlichen Beziehungen kann Kontrolle niemals so viel erreichen, wie Vertrauen.

18

Verloren der Weg
jetzt kommen die Gerechten und Guten
Schlaumeier und Heuchler
machen sich breit

verfallen Familien
haben Ratgeber das Wort
fault der Staat
wird der Bürokrat feist

Positiv ausgedrückt: Solange eine Gemeinschaft, sei es die Familie, die Gesellschaft oder der Staat, dem „Weg" folgt – also dem DAO, was ja ursprünglich „Weg" bedeutet –, folgt sie dem Fließweg: Und die Welt ist im Lot. Erst wenn sie aus dem Lot gerät, machen sich sogenannte „Gerechte und Gute" sowie „Schlaumeier und Heuchler" breit. Dann geht es schief und dann „haben Ratgeber das Wort" und Bürokraten werden feist.

19

Fort mit Heilig-Tun
fort mit Gescheit-Tun
hundertmal besser ging's allen

fort mit Anstand und Takt
so hätte die Liebe Platz

fort mit Tricksen und Gewinnen-Wollen
dann laufen Betrüger und Diebe ins Leere

das alles ist wie Puder
wertloser Schmuck

einfach und schlicht
mit Wenigem zufrieden
das macht frei

Wieso denn „fort mit Anstand und Takt" um der Liebe willen? Sind sie nicht gerade jenes gelebte Ja zur Zugehörigkeit, das Liebe definiert? Sie können es sein, wenn sie nicht dem „Manövrieren" entspringen, also der Berechnung und dem So-tun-als-ob. „Einfach und schlicht" leben – also gerad heraus – „das macht frei" von gesellschaftlichem Zwang. So werden „Anstand und Takt" zum Ausdruck der Liebe.

20

Vergeht die Gelehrtheit
vergehen auch die Sorgen

was trennt ja und nein?
was trennt gut und schlecht?

sollst du dich unterwürfig ducken
weil's die anderen tun?

alleine unter allen:
sie feiern voll Übermut
als ob immer Frühling wäre

du bist bei dir
wie der Säugling an der Brust
ermattet und wunschlos

andre prahlen
du hast nichts und kannst nichts
bist wie vergessen

sie wollen glänzen
du magst es trüb
sie unterscheiden
du willst das Ganze

aufgewühlt wie das Meer
bewegt wie der Wind

sie machen sich nützlich
du bist wie ein Depp
der immer noch an
der Mutterbrust hängt

„An der Mutterbrust hängen“ heißt bei sich selbst sein und mit dem DAO verbunden leben.* Vom Standpunkt der vorherrschenden Gesellschaftsordnung betrachtet heißt das entschieden gegen den Strom schwimmen, nicht ganz ernst genommen zu werden und den Kürzeren zu ziehen. Die Wahl steht uns frei. Für Herzensfrieden und innere Stillung bezahlt man oft einen hohen Preis an gesellschaftlichem Ansehen.**

21

Das unbändig Lebendige
sucht immer den Weg
sucht ihn im Nebel im Dunkel
so dunkel so neblig
der Weg
nur mehr der Spur nachzusehen
dahinter im Dunkel liegt
wie ein Keim
die ursprüngliche Kraft
die immer wirkt
pausenlos

ihre Namen
haben die Dinge schon lang
woher aber weiß ich
von ihrem Ursprung?
durch sie selber

Die unbändige Lebendigkeit, die „immer den Weg sucht“, ist in allem, was lebt, auch in dir und mir. Selbst wenn die Spur kaum noch zu sehen ist, drängt uns unser Innerstes, ihr nachzugehen. Wir sind von Natur aus daraufhin angelegt, das Große Geheimnis, „die ursprüngliche Kraft, die immer wirkt“, aufzuspüren und uns von ihr treiben zu lassen. Auf diesem Weg findet unser Leben Erfüllung.

22

Was zusammengehört
findet sich
was krumm ist
wird gerade
das Leere
wird voll
aus Altem
gibt's Neues
aus wenig
wird viel

das Viele verwirrt

drum liegt Weisheit
im einfachen Ganzen
als Vorbild für die Welt

sie blendet nicht
und leuchtet grade darum
sie behauptet nicht
und überzeugt darum erst recht
sie rühmt sich nicht
drum wird sie geschätzt
sie drängt sich nicht auf
so setzt sie sich durch

wer gar nicht erst kämpft
gewinnt

was zusammengehört
findet sich
sagen die Alten

was heißt das?

was lebt
geht aufs Ganze

„Was lebt, geht aufs Ganze." Dieser Satz fasst zugleich auch den vorigen Abschnitt aus Nummer 21 zusammen. Dort ging es um weise Lebensgestaltung, hier aber geht es um philosophische Einsicht. Unter diesem Gesichtspunkt gilt: „Was zusammengehört, findet sich." Aber gehört nicht alles mit allem zusammen? Also heißt unsre Aufgabe doch wieder zur tiefsten Zugehörigkeit den Weg finden – DAO, den Weg schlechthin.

23

Die Natur
redet kurz

ein Wirbelsturm
geht im Nu vorbei
ein Platzregen
hört schnell wieder auf

woher kommen
Regen und Wind?
von Himmel und Erde
kommen
Regen und Wind

wenn all das vergeht
was Himmel und Erde erzeugen
wie willst dann du
etwas machen was bleibt?

gehst mit DAO
bist mit DAO
auf dem Weg
ab vom Weg
in den Schuhen
neben den Schuhen

mit DAO gehen
bringt viel Freude
ohne DAO
aber auch

ganz im Vertrauen
darfst du zweifeln

Die Natur folgt dem Fließweg des DAO: Alles vergeht. „Doch alle Lust will Ewigkeit."* Conrad Ferdinand Meyer** findet beides in den Marmorschalen des römischen Brunnens: „Jede nimmt und gibt zugleich und strömt und ruht." Zum Fließweg des DAO gehören sowohl vergehen wie bleiben. Klar? Laozi zwinkert uns zu: „Ganz im Vertrauen" gesagt – was zugleich heißt: Solange dein Vertrauen tief genug ist –, „darfst du zweifeln".

24

Auf den Zehenspitzen
steht man unsicher
mit großen Schritten
kommt man nicht weit
einem Geck schaut niemand gern zu
einem Rechthaber will niemand Recht geben
aus Ehrgeiz entsteht nichts Ehrliches
wer sich vordrängt kann nicht führen

wer gierig und stolz ist
gewinnt keine Achtung

Auf den ersten Blick könnten die sechs Warnungen, mit denen dieser Abschnitt beginnt, als abgegriffene Binsenweisheiten erscheinen. Und doch ist die unreife Angeberei, die hier bloßgestellt wird, gang und gäbe in unserer Gesellschaft. Ja, sie verschafft den „Prominenten" sogar Berühmtheit und Respekt – nicht jedoch die wahre Achtung tief im Herzen. Nur Echtheit schenkt Achtung – auch vor sich selbst.

25

Etwas gibt's
entstanden im Chaos
lange vor Himmel und Erde
lautlos leer
still so still
steht's für sich
wandelt sich nicht
kreiset in sich
unerschöpflich

bei manchen heißt's Mutter
doch es hat keinen Namen
ich rede vom Weg
der ist groß
und der fließt
weit fort
wieder zurück
zwischen Himmel und Erde
der Königsweg
zu vier großen Zielen:
Mensch Erde Himmel Weg

der Mensch
folgt der Erde
die Erde
dem Himmel

der König
dem Weg
und der Weg
nimmt seinen Weg

Dem Daodejing geht es in erster Linie um Lebensweisheit und nicht um die großen philosophischen Fragen. Hin und wieder aber, wie in diesem Abschnitt, gibt es doch Durchblicke auf das grundlegende Weltbild, das sich auch für uns als ungemein zeitgemäß erweist. Sowohl für den Einzelnen wie für die ganze Gesellschaft gilt der Grundsatz: Vom DAO geleitet leben heißt, von der Natur zu lernen.

26

Leicht
baut auf schwer
Bewegung wurzelt
in Ruhe

beim Reisen bleibt
ein Auge
immer beim Gepäck
lässt sich
nicht blenden
von prächtiger Aussicht

wie bringt
man das Rennross
ans Ziel?

der Leichtsinnige
fliegt aus dem Sattel
der Schusselige
lässt die Zügel
fahren

Wer dem DAO gemäß lebt, verbindet eine in sich ruhende Gelassenheit mit beweglicher Leichtigkeit. Diese beiden sind eng miteinander verbunden: „Leicht baut auf schwer; Bewegung wurzelt in Ruhe." Beide zusammen machen das Wesen aller Spiritualität aus: die Achtsamkeit. Für Achtsamkeit stehen hier zwei Bilder: der gewitzte Handelsreisende und der erfolgreiche Reiter beim Pferderennen.

27

Kunst des Reisens:
ohne Spuren

Kunst des Redens:
ohne Stocken

Kunst des Rechnens:
ohne Tafel

Kunst des Schließens:
ohne Riegel

Kunst des Bindens:
ohne Schlinge

so rettet man Leben:
niemals aufgeben
so rettet man Sachen:
nichts übergehen

aufmerksam und klar

der mit Erfahrung
lehrt den Neuling
der Neuling
lernt vom Erfahrenen

respektlos zum Lehrer
lieblos zum Schüler
vergeudetes Talent

Das fünffache Können, mit dem dieser Abschnitt beginnt, besteht nur scheinbar im Nicht-Tun. Die Bilder wollen nur willkürliches Eingreifen in natürlich sich entfaltende Prozesse zurückweisen. Was aber hoffnungslose Angelegenheiten oder sogar das Leben selbst retten kann, ist doch ein Tun, ein mitwirkendes, das nichts übergeht und niemals aufgibt – so von selbst wie bei Lehren und Lernen mit Liebe und Respekt.

28

Drängen und nachgeben
wie der Fluss im Tal
der ewig junge Fluss
der fortzieht und heimzieht

klare Vorstellungen
dunkle Ahnungen
zusammen ergeben sie das Bild
das Bild vom Ziel
vom Unfassbaren

durch Härte und Weichheit
durch Druck und Nachgeben
formt sich das Tal
das Tal wo
wildes Holz wächst

wächst weiter
wildes Holz
wird Werkzeug
wird Weisheit
lässt sich nicht spalten

„Klare Vorstellungen, dunkle Ahnungen, zusammen ergeben sie das Bild.“ Der Dichter Rainer Maria Rilke sagt es so: „Mag auch die Spiegelung im Teich oft uns verschwimmen: Wisse das Bild. Erst in dem Doppelbereich werden die Stimmen ewig und mild.“* Die ewig-milde Stimme des Daodejing spricht daher in Gegensatzpaaren von der Weisheit. Diese aber vereint und „lässt sich nicht spalten“.

29

Wer Kontrolle will
über das
was unterm Himmel ist
greift nach Luft
unterm Himmel:
lebendige Leere
lässt sich nicht
nageln und nieten

voraus hinterdrein
stoßen und ziehen
jetzt stark
jetzt schwach
etwas entsteht
etwas vergeht

Hände weg vom
großmächtigen Maßlosen

Der Himmel umfasst alles, was wir sehen. Sinnbildlich steht also „das, was unterm Himmel ist" für alles, was es gibt, in all seiner überwältigenden Unbegreiflichkeit. Genau betrachtet, ist es „lebendige Leere": ein Flimmern aus Energie und Materie, das erst die Psyche eines Lebewesens zu seiner Welt macht. Also „Hände weg vom großmächtigen Maßlosen" – aus Ehrfurcht.

30

Tipp für die Mächtigen:
weg mit den Waffen
denn Waffen schlagen zurück
und sie schaden auch
wenn sie herumliegen

wo das Heer durchzog
wächst nur mehr Gestrüpp
der Krieg
sät Hunger

gibt's keinen anderen Ausweg:
rasch zuschlagen
ohne Triumph
dem Verlierer
Respekt zeigen

gezwungen zu gewinnen
doch nicht gewonnen um zu zwingen

Gewalt gegen Schwache
bringt den Stärkeren ins Stolpern

„Waffen schlagen zurück“ – das gilt nicht nur für den Rückschlag beim Gewehr. Der ist nur Sinnbild für den unermesslichen Schaden, den Waffen allen, die sie besitzen, zufügen. „Sie schaden auch, wenn sie herumliegen“ – sei's als Landminen, sei's als geldverschwenderische Rüstungslager. Laozi macht zwar Zugeständnisse, wenn es „keinen anderen Ausweg“ gibt. Grundsatz aber bleibt gesunder Menschenverstand.

31

Waffen
bringen kein Glück
verhasstes Werkzeug
versperrt nur den Weg

im Haus mit der schwachen Hand
im Feld mit der starken
sie greift ungern
nach dem Werkzeug des Todes

wenn es schon sein muss:
leidenschaftslos

kein Jubel im Sieg
gibt's doch keinen Grund
sich zu freuen an Toten

fürs Glück die schwache Hand
fürs Unglück die starke

der General links
der Feldmarschall rechts
so stehen sie am Grab
Kummer und Trauer
nach dem gewonnenen Kampf

Der „Weg“, den die Waffen versperren, ist DAO. Darum sind für Laozi Waffen, das „Werkzeug des Todes“, so verhasst. Der Fließweg des DAO schafft Leben. Nach ihm richten wir unseren Lebensweg aus, wenn wir Leben wählen anstatt Tod.* Kein Krieg kennt Sieger, auch nicht „nach dem gewonnenen Kampf“. Das hier gezeichnete Bild von „Kummer und Trauer“ am Kriegsende ist überwältigend in seiner Einfachheit.

32

Immer schon da
namenlos
wie Unterholz zwecklos
sieht's aus

die Mächtigen
könnten sehen
wie die Sachen
– würde man sie lassen –
ihren Platz selber finden
zwischen Himmel und Erde

am Morgen liegt Tau
auf dem Land

Namen
nehmen auseinander
unterscheiden
und spielen sich auf

wer Namen Namen sein lässt
dem Himmel vertraut
findet zur Quelle
geht mit dem Fluss
findet zum Meer

„Am Morgen liegt Tau auf dem Land“, so naturgemäß, „wie die Sachen – würde man sie lassen – ihren Platz selber finden zwischen Himmel und Erde“. Unser „Herz, das ins Ganze geborne“,* ahnt, was dieses „sie lassen“ bedeutet. Jedoch, wir können es nicht lassen zu benennen. Namen aber „nehmen auseinander“. Da heißt es „dem Himmel“ vertrauen, dem allumfassenden Einen.

33

Schlau
wer die Anderen kennt
klar
wer sich selber kennt

stark
wer die Andren besiegt
unbesiegbar
wer sich selber besiegt

ehrgeizig
verfolgst du das Ziel
anspruchslos
machst du dem Glück Platz

im Bleiben ist Zeit
im Vergehen Ewigkeit

Selbsterkenntnis führt zu innerer Klarheit, Selbstüberwindung macht unbesiegbar. Anspruchslosigkeit schafft Raum für jenes Glück, das uns vom Leben zugeteilt wird und so viel gediegener ist als alles, was wir uns selber ausdenken und anstreben. Um dieses bleibende Glück zu finden, heißt es hinhorchen auf das, was uns im zeitlosen Jetzt das Leben zuspricht, zu hören, was es von uns verlangt, und es tun.

34

DAO ein Strom
links und rechts
fruchtbar
zehntausend Wesen
leben davon

zehntausend Geschöpfe
finden Schutz
finden Nahrung
und schulden ihm nichts
dem Namenlosen
das sich nicht aufspielt
das alles zurücknimmt
auch sich selber
darum ist es groß

Anklänge an strömen und fließen tauchen immer wieder auf in den Bildern für DAO – hier im Bild vom Strom, der das Tal bewässert und den „zehntausend Wesen" Nahrung schenkt. Sie „schulden ihm nichts, dem Namenlosen" – ihrem anonymen Wohltäter sozusagen. Laozi geht es vor allem darum, dass wir uns vom DAO leiten lassen. Die Aufgabe ist, in selbstvergessener Weitherzigkeit groß zu werden.

35

Im Umriss
DAO schon da
bevor es sich
zeigt in der Welt

sicher und geschützt

ein Köder
sticht jedem
in die Nase
lockt jeden vom Weg ab
der vorbeikommt

aber unauffällig und glanzlos
ist das Wort
das etwas beschreibt
was weder
Auge noch Ohr reizt
und eben dadurch seinen Reiz
nie verliert

„Sicher und geschützt“ ist DAO durch seine Unauffälligkeit. „Unauffällig und glanzlos“ muss auch alles sein, was wir über etwas sagen, „was weder Auge noch Ohr reizt und eben dadurch seinen Reiz nie verliert“. Etwas darüber auszusagen, ist aber chinesischer Weisheitslehre vor allem im Hinblick auf praktische Lebensweisheit wichtig. Um unsere Lebensgestaltung geht es. Wir sollen lernen, verborgen zu leben.

36

Zum Falten:
zuerst ausbreiten

zum Schwächen:
zuerst stärken

zum Loswerden:
zuerst annähern

zum Ernten:
zuerst wachsen lassen

durchs zu Dunkle hindurch
klar sehen

weich und schwach
schlägt hart und stark

lass den Fisch im Teich
lass das Kriegsbeil im Gurt

Immer neue Bilder findet Laozi, um seinen Widerwillen gegen Waffen zu veranschaulichen. Wie der Fisch ins Wasser gehört, so gehört das Kriegsbeil in den Gurt. Es muss in seiner Scheide bleiben, wenn die Welt im Frieden bleiben soll. Die auf diese Einsicht vorbereitenden Verse enthalten Grundsätze gewaltfreier Kampfkunst. Das nachgiebige Weiche ist stärker als das starre Harte: nachgeben, um zu siegen.

37

DAO handelt ewiglang nicht
trotzdem bleibt nichts ungetan
täten's Fürsten und Könige so
würden die zehntausend Wesen
sich selber verwandeln

und wenn sie sich wandeln
selbständig handeln
kommen sie wortlos
aus ihrem Zwang

in der Ruhe
finden sie ihren Platz
unterm Himmel

Hier geht es um den Gegensatz zwischen Zwang und freier Entfaltung. Was den Ausschlag gibt, ist Gelassenheit: andere in Ruhe lassen und selbst zur Ruhe kommen. DAO gibt den „zehntausend Wesen" Freiheit, sich in Ruhe zu entfalten. Würden Machthaber das tun, dann wäre die Welt im Frieden. Macht haben wir aber alle: die Macht, anderen durch Achtung und Vertrauen Selbstvertrauen und innere Freiheit zu schenken.

38

Die höchste Begabung:
die welche man vergisst
so bleibt sie einem

vergisst man sie nicht
hat man sie nicht

die höchste Begabung
hält sich still
greift nicht ein

minderes Talent greift
bei Geringem schon ein

Vertrauen wirkt
ohne Eingriff

Regeln greifen vor
und verlieren die Wirkung
wirken sie nimmer
greift die Kontrolle ein

also:
verliert man den Weg
folgt man der Neigung
verliert man die Neigung

sucht man Vertrauen
verliert man das Vertrauen
greift man nach Regeln
versagen die Regeln
ist Kontrolle gefragt

Kontrolle von oben
sieht nicht was drunter rumort

zu viel Licht am Weg blendet

drum:
nicht das Äußere
sondern das Innere
nicht die Wirkung
sondern das Wirkliche
zählt

nicht beeindrucken lassen
genau hinschauen

„Zu viel Licht am Weg blendet." Alles allzu präzise ausklügeln zu wollen, lässt uns den Weg des DAO verlieren. Ihm fast schlafwandlerisch zu folgen, ist „die höchste Begabung". Ihr Nicht-Eingreifen ist kein untätiges Geschehen-Lassen, sondern beweist Fingerspitzengefühl; ihr Ein-Auge-Zudrücken ist nicht Nachlässigkeit, sondern beweist genaues Hinschauen mit sanften Augen, statt mit kaltem Blick.

39

Vor Langem
der Himmel entstanden
aus einem Licht
die Erde
aus einer Masse
Geist aus
einem Wort
Tal aus
einem Fluss
die zehntausend Wesen aus
einem Stoff
Fürsten und Könige aus
einem Recht

so sind sie geworden
was sie sind

ohne Licht
wäre der Himmel
ein Abgrund
ohne Masse
würde die Erde
zerfallen
ohne Wort
ginge der Geist ein
ohne Fluss

würden die Täler veröden
ohne Stoff
gäb's keine zehntausend Wesen
ohne Recht
wären Fürsten und Könige
maßlos

so braucht das Obere
das Untere
das Höchste steht
auf tiefem Grund

Bei genauem Hinschauen zeigt auch dieser Abschnitt, dass das eigentliche Anliegen von Laozi kein abstrakt theoretisches ist, sondern Lebenskunst. Die lange Einleitung ist seine Entstehungsgeschichte von Himmel und Erde. Der springende Punkt aber ist: „So braucht das Obere das Untere" – eine Einladung, unsere eigene Tiefe zu erforschen, denn „das Höchste steht auf tiefem Grund".

40

Heim
führt der Weg
nachgeben
ist der Weg
zehntausend Wesen
schöpft die Schöpfung aus sich

sich selber
schöpft sie aus nichts

Hier ist die Antwort auf die Frage, warum der Weg – DAO – von zentraler Wichtigkeit ist: Er führt heim. Unser Heimweh drückt Eichendorff* so aus: „Und ein geheimes Grausen beschleichet unsern Sinn: Wir sehnen uns nach Hause und wissen nicht, wohin?“ Unausgetreten ist unser Heimweg. Wir legen selber die Spur in vertrauensvollem Hinhorchen auf „die Schöpfung“, die Natur, ihr tiefstes Geheimnis.

41

Den Höchsten erleuchtets
den Mittleren verwirrts
den Untersten machts lachen

würde niemand lachen
DAO wäre nicht DAO

drum solche Sprüche:

Dunkel wie Licht ist DAO

zurück geht DAO vorwärts

in Bewegung ist Gleichgewicht

zum Höchsten durchs Tal

der reinste Dreck

der kurze Weg ist der längste

hart wird's im Weichen

so richtig falsch

rund wie ein Quadrat

das weiteste Gefäß:
der Schlusspunkt

der lauteste Ton:
unerhört

die größte Gestalt:
formlos

DAO:
namenloses Nichts
aber nichts
ohne DAO

DAO als „namenloses Nichts“, das dennoch die Voraussetzung ist für alles: „Nichts ohne DAO!“ Kein Wunder, dass das nur dem „Höchsten“ einleuchtet, dem, der „durch das Tal“ tiefster Dunkelheit den höchsten Gipfel von Bereitschaft erreicht hat. Doch nicht ohne Humor. Auch er kann lachen über die lange Liste paradoxer Sprüche, wird er doch selber zur paradoxen Erscheinung: als Höchster der Unterste.

42

Aus DAO zu einfach
aus einfach zu zweifach
aus zweifach zu dreifach
aus dreifach zu den x-tausend Wesen
x-tausend Wesen
auf dunklem Grund
in hellem Licht
lebendigen Treibens

Wir verbringen unsere Tage „in hellem Licht lebendigen Treibens“, und das ist gut, solange wir uns des dunklen Grundes bewusst bleiben, aus dem wir – zusammen mit den „x-tausend Wesen“ – auftauchen, hervortreten, ja, in gewissem Sinne entstehen. Erst das Bewusstsein unserer tiefsten Innerlichkeit lässt uns DAO erahnen, das allem Sein zugrunde liegt und dem Tanz allen „lebendigen Treibens“ seinen Rhythmus gibt.

43

Das Weichste
unterm Himmel
löst das Härteste auf
ein winziges Nichts
findet eine Lücke
im Festen

Nicht-Handeln bewegt

lehren
ohne Wort
bewegen
ohne zu handeln
selten kommt's vor

Was können wir heraushören aus diesem „selten kommt's vor"? Ist es Resignation? Wohl kaum. Laozi setzt ja immer wieder an, uns für das „Nicht-Handeln", das bewegt, zu begeistern. Was da mitschwingt, scheint mir zweierlei zu sein: die schmerzliche Einsicht des alten Lehrers, wie fremd „bewegen ohne zu handeln" den meisten Menschen bleibt, und ein Ansporn für uns, es ernstlich zu versuchen.

44

Ruf oder Leben
was liegt einem näher?
Leben oder Besitz
was hat mehr Gewicht?
Gewinn oder Verlust
was setzt einem mehr zu?

überborden im Liebesleben
macht weiche Knie
schnelles Geld
ist auch schnell wieder weg

merken was genug ist
ist doch keine Schande

rechtzeitig bremsen
Gefahr umgehen

das verlängert das Leben

„Merken, was genug ist, ist doch keine Schande." Im Gegenteil: Ebenso wie rechtzeitiges Bremsen oder das Umgehen von Gefahr verlängert Maßhalten das Leben. Und unser Leben ist uns schließlich sogar noch mehr wert als der gute Ruf oder Besitz. Die Unterscheidung zwischen Mittelmäßigkeit und rechtem Maß ist entscheidend. Für daoistische Lebenskunst ist DAO im Vollsinn Maß-gebend.

45

Vollendetes
kann unfertig aussehen
aber es hält stand
das Volle kann
wirken wie leer
ist aber unerschöpflich

das Gerade
kann krumm sein
das Geschickteste
dumm sein
das Redselige
stumm sein

Bewegung macht Kaltes warm
Ruhe kühlt ab

in der Stille
kommt die Welt
ins Lot

„In der Stille kommt die Welt ins Lot." Welche Welt? Deine Welt! Die Welt schlechthin ist ja nichts als eine Abstraktion. Jedes Lebewesen hat seine eigene Welt. Diese schwankt immer zwischen Gegensätzen: voll – leer, gerade – krumm, warm – kalt.

Tiefste Stille lässt dieses Schwanken ins Lot kommen durch eine Ahnung vom allumfassenden Einen. In so stiller Ausgewogenheit liegt unser Herzensfriede.

46

Ist die Welt im Lot
siehst du die Rosse auf der Weide
sich am Boden wälzen
ist sie's nicht
stehen die Rosse in Reih und Glied
in der Kaserne

nichts Schlimmeres
als nicht zu merken
wenn's genügt
nichts schadet mehr
als Grenzen nicht zu sehen

merken was nottut
damit's genügt
ist alles was nottut

Genügsamkeit ist eine Grundtugend daoistischer Lebenskunst – privater wie öffentlicher. Aufrüstung ist das entsetzlichste Beispiel für den Wahnsinn, nicht zu „merken, was nottut, damit's genügt". Heute könnte der Vergleich zwischen Bildungsbudget und Rüstungsbudget – zwischen geachteten und bestohlenen Kindern – jenen zwischen vergnügten und missbrauchten Pferden überbieten.

47

Im Haus drin
den Himmel anschauen
bei gezogenen Vorhängen
in die Tiefe sehen

je weiter
du reist
desto weniger
siehst du

bleiben
und schauen
schweigen
und sehen
wie das Ganze sich zeigt

„Versenkung" wurde dieses „in die Tiefe Sehen" traditionell genannt – diese ernste, entschlossene geistige Sammlung auf die tiefste, innere Wirklichkeit. Nur selten wird im Daodejing so klar und ausdrücklich von diesem Thema gesprochen. Immer aber wird es vorausgesetzt. „Sehen, wie das Ganze sich zeigt", verlangt Tiefblick und bildet zugleich die Grundlage und Voraussetzung für ein erfülltes Leben.*

48

Durch Wissen wirst du groß
auf den Punkt aber kommst du
durch Weglassen

Seinlassen macht klein
und doch bleibt nichts ungetan
unterm Himmel

du hast nichts in der Hand
musst ja auch nicht

„Seinlassen“ – oder wie es im vorigen Abschnitt heißt, „bleiben und schauen, schweigen und sehen, wie das Ganze sich zeigt“ – ist äußerst befreiend. Ganz ohne unser Zutun „bleibt nichts ungetan“. Das „Weglassen“ geht so weit, dass wir uns selber weglassen. Etwas Verunsicherung ist dabei verständlich: „Du hast nichts in der Hand.“ Aber hast du denn Entscheidendes je in deiner Hand? Geht’s nicht gut so?

49

Ein vollkommener Mensch
schafft nicht an seinem
sondern am Geist von allen

mit denen die's gut meinen
meint er's auch gut
selbst mit denen die's nicht gut meinen
gut so für alle

auf alle die ihm vertrauen
setzt er Vertrauen
und auch denen vertraut er die ihm nicht trauen
so getrauen sich alle zu vertrauen

ein vollkommener Mensch
hält den Atem an
ob all dessen
was es gibt zwischen Himmel und Erde

und wenn er das Land lenkt
dann um Himmels willen
mit einem klaren Geist
so können alle
die Augen und die Ohren auftun

ein vollkommener Mensch
behandelt alle
wie seine eigenen Kinder

„Ein vollkommener Mensch behandelt alle wie seine eigenen Kinder.“ Das erklärt, wie es möglich ist, zu allen gut zu sein und allen zu vertrauen. In den Augen einer Mutter sind die Fehler ihrer Kinder das „Noch-nicht-Gute“. Wer Böses als Feind bekämpft, lässt es dadurch noch weiter ausufern. Die kreative Alternative ist, das Böse mit mütterlicher Geduld und Liebe dazu zu bringen, dass es sich zum Guten entwickelt.

50

Hinaus ins Leben
hinein in den Tod
drei von zehn
gehen direkt ins Leben
drei von zehn
gehen direkt in den Tod
und im Lauf des Lebens
nehmen wieder drei von zehn
die Kurve zum Tod

und warum?
weil ihnen das Maß fehlt

dann soll's auch noch die geben
die sich das Leben
niemals nehmen lassen
kein Stier und kein Tiger
nicht Waffe nicht Krieger
kommt an sie heran
der Stier kriegt sie nicht vor die Hörner
der Tiger nicht zwischen die Krallen
und das Schwert geht ins Leere
warum?

weil sie dem Tod
keinen besonderen Platz geben

Im ersten Teil dieses Abschnittes stellt Laozi nüchtern fest, wie gefährdet unser menschliches Leben tatsächlich ist, beständig bedroht durch natürliche Gefahren und eigene Maßlosigkeit. Auch hier wieder die Betonung von Maß! „Dann soll's auch noch die geben, die sich das Leben niemals nehmen lassen." Durch magische Kräfte? Mir scheint Laozi eher nahezulegen, dass für jene der Tod eben zum Leben gehört.

51

Aus DAO wirst du geboren
sein Grundton stärkt dich und führt dich
du wohnst in einem Körper
und der wohnt in der Welt

von DAO
bleibt dir eine Ahnung
einfach dadurch
dass du
genährt und geschützt
hineinwachsen kannst in die Welt

aus DAO kommt alles
DAO gibt Nahrung
lässt wachsen
schenkt Frieden
macht dich satt
in deinen alten Tagen
deckt's dich zu

schenkt Leben
nicht Besitz
handelt
aber drückt nicht
wirkt
aber herrscht nicht

im Ursprung
ein Grundton
der trägt

Für die Wirkkraft von DAO verwendet Laozi ein Wort, das zu seiner Zeit im allgemeinen Sprachgebrauch eigentlich „Ton“ bedeutete. Dahinter steht die Vorstellung, dass DAO als Grundton die Musik des Universums durchwaltet und trägt. Erfülltes Leben finden wir, indem wir hinhorchen lernen auf diesen Ur-Ton, von dem uns zeitlebens eine Ahnung bleibt, und uns wie Tänzer von ihm leiten lassen.

52

Alles was lebt
hat einen Ursprung
sozusagen eine Mutter
du bist und bleibst
das Leben lang ihr Kind
zuerst pflegt sie dich
dann pflegst du sie

so geht nichts
was lebt
unter

bleib bei dir
mach die Türe zu:
nichts macht dich müde

mach die Türe auf
die Nase im Wind
gleich bist du erschöpft

am Kleinsten
gewinnst du Klarheit
in der Schwäche
wirst du stark

mit hellem Verstand
zurück zur Klarheit
nichts verderben lassen:
das hält lebendig

„Zuerst pflegt sie dich, dann pflegst du sie" – deine Mutter, die Natur, deine Umwelt. Wie bildkräftig: Umweltschutz ist Kindespflicht. Wie gegenwartsnahe das heute klingt – nach 25 Jahrhunderten. Und wie zeitgemäß auch die Warnung vor Burnout: „Mach die Türe zu", weil aktiver Einsatz aus der Stille kommen muss. Und all diese Einsichten verankert in der tiefsten Begründung, im „Ursprung", im DAO.

53

In der Welt
kommst du zu Wissen
verfehlst aber DAO

DAO ist schnurgerade
Herrschaft hingegen
nimmt gewundene Pfade

schmucke Villen
Unkraut auf den Feldern
leere Kornspeicher
prunkvolle Kleider
Waffen am Gurt
üppige Büfetts
Plunder im Überfluss

so geht’s zu
wenn Räuber an der Macht sind

kannst DAO dann suchen gehn

„DAO ist schnurgerade“ wie die von Schwerkraft gespannte Lotschnur: ein bedeutungsreiches Bild. Es legt die Vorstellung nahe, DAO sei sozusagen die Schwerkraft des Seins. DAO hat eine Richtung. Der Fließweg eines am DAO ausgerichteten Lebens folgt einer Art Schwerkraft. Wir können lernen, unser Gespür zu verfeinern für diese Urkraft, die alle Kräfte von Materie und Psyche treibt.

54

Was verwurzelt ist
kommt nicht so schnell um
was gepflegt wird
überdauert
Kind und Kindeskind
tragen es weiter

pflegst du's bei dir
wirst du echt
pflegt's die Familie
lebt sie auf
pflegt's dein Ort
hat er Bestand
pflegt's dein Land
blüht es auf
pflegt's die Welt
wird sie ganz

Maß an sich selbst
Maß an der Familie
Maß an der Gemeinde
Maß am Land
Maß an der Welt
nehmen

und warum das?
Eben darum!

„Was verwurzelt ist“ – wo? Im DAO, im Mysterium, im großen Geheimnis des Seins –, das „kommt nicht so schnell um.“ Es kommt überhaupt nicht um. Es hat Bestand und macht uns „echt“, wenn wir's zum Maßstab machen, an dem wir alles messen. „Und warum das?“ Die Antwort lautet: Dieser Wurzelgrund ist – in der Doppelbedeutung der Redewendung – der letzte Grund für alles. „Eben darum“ also.

55

Unterwegs sein
wie ein kleines Kind
ohne Furcht
vor Wespen Skorpionen und Schlangen
ohne Ahnung
von Reißzähnen und spitzen Schnäbeln

elastische Knochen
zarte Muskeln
aber ein fester Griff

männlich weiblich
spielt noch keine Rolle
aber die Lust ist schon da
Lebenskraft
den ganzen Tag
glucksen und schreien
und doch kein Kratzen im Hals
weil der Ton stimmt
und nachschwingt

sich einstimmen
bringt Klarheit

überstimmen
heißt herrschen

heißt alt werden
abkommen vom Weg

dem Ende entgegen

„Sich einstimmen bringt Klarheit" – einstimmen auf was? Auf den großen Chor des Ganzen. Das Kind in uns bleibt immer darauf eingestimmt. Daher hat es „Lebenskraft den ganzen Tag". Bei wem der „Ton" – die Wirkkraft des DAO in uns – „stimmt und nachschwingt", der versucht nicht, andere zu „überstimmen" und zu beherrschen. Der wird auch nicht alt, sondern lebt das Kindsein, für das die Kindheit zu kurz war.*

56

Wer weiß
redet nicht
wer redet
weiß nicht

die Zunge stillhalten
die Türe zutun
den Ehrgeiz dämpfen
Verwirrung lösen
Auffälliges verbergen
Staub ansetzen lassen
so dem dunklen Ursprung
begegnen

unmöglich ihm nah zu sein
unmöglich ihm fremd zu sein
unmöglich ihm nützlich zu sein
unmöglich ihm zu schaden
unmöglich ihn zu ehren
unmöglich ihn zu beleidigen

daher kommt's
dass man ihn achtet

Die erste Hälfte dieses Abschnittes zählt sechs Voraussetzungen auf für die Begegnung mit „dem dunklen Ursprung“: schweigend, allein, demütig, klar und unscheinbar sein – und dann „Staub ansetzen lassen“, also geduldig warten. Die Begegnung verwandelt. Die sechs Unmöglichkeiten kennzeichnen dann den Verwandelten und erklären die Hochachtung, die man ihm entgegenbringt.

57

Regiert wird
mit Macht
unterworfen
mit Gewalt
die Welt gewinnt aber der
der zurücktritt

woher ich das weiß?
daher:
so viel Verbot und Gebot
und dennoch:
die Meisten arm
die Wenigsten reich
so viele Erfindungen
aber Land und Leute
so teilnahmslos
viel Talent und Kunst überall
doch eine komische Stimmung
so viele Regeln und Gesetze
und so viele die sie brechen

die Einsicht sagt:
ich handle nicht
dann handeln die Leute selber
ich halte mich still
still ordnet sich alles

ich schreibe nichts vor
das Glück kann sich zeigen
ich nehme mich zurück
und hervor kommt das Einfache

Ob es uns bewusst ist oder nicht, das einfache Leben ist es, was wir alle ersehnen. „Das Einfache“ aber braucht, um sich zu entfalten, nichts, als dass wir uns zurücknehmen. Was heißt uns zurücknehmen? Es heißt, unsere Hetzjagd nach dem Glück aufzugeben. Es heißt, achtsam werden für das viele, was das Leben uns von selber schenkt, heißt dankbar leben – und siehe da: „Das Glück kann sich zeigen.“

58

Der Eine schaut beiläufig
auf seine Leute:
die sind
ehrlich und munter

der Andere hat jeden
scharf im Auge:
falsch und verschlagen
sind seine Leute

auf dem Elend
o weh
steht das Glück
unterm Glück
o weh
liegt das Elend

wo fängt das Eine
wo das Andre an?

da ist ja keine Grenzlinie

Gerades wird wieder krumm
Gutes wird plötzlich verdächtig

gleich bleibt nur
des Menschen Dummheit

Weisheit hat Kanten
schneidet aber nicht

hat Ecken
verletzt aber nicht

ist grad heraus
aber nicht unbeherrscht

leuchtet
blendet aber nicht

Menschen richtig zu behandeln, verlangt Weisheit, Glück von Elend zu unterscheiden ebenso. „Da ist ja keine Grenzlinie." Weil Weisheit dem Fließweg folgt, kann sie dem Fluss ständiger Veränderungen aller Dinge gerecht werden. Denn alles wandelt sich, „gleich bleibt nur des Menschen Dummheit" – auch die meine. Mir dessen bewusst zu bleiben, gehört als unerlässlicher Bestandteil zur Weisheit.

59

Mit Mähen und Dreschen allein
führt man keinen Hof

ohne zu säen
kann man nicht mähen

ohne viel Bücken
gibt's wenig zu pflücken

aus leerem Keller
kein voller Teller

gesammelte Kraft:
umso höher das Ziel
desto weiter die Grenzen

die Mitte der Welt
ist auf allen Seiten offen

im Ursprung
liegt die Kraft
der Ausdauer

Wo immer du bewusst im Jetzt stehst, da ist „die Mitte der Welt“. Die „ist auf allen Seiten offen“: Alles scheint möglich. Das kann uns überfordern und tut es auch oft. Aber im Jetzt ist auch immer neu „Ursprung“. Auf den heißt es aufmerksam hinzuhorchen, um zu hören, was von den grenzenlosen Möglichkeiten gerade jetzt Wirklichkeit werden will. Tun, was das Leben will, schenkt „die Kraft der Ausdauer“.

60

Einen großen Staat leiten
ist wie kleine Fische braten

DAO lehrt
nichts anbrennen zu lassen
keine dunklen Geister
die sich breitmachen
und düstere Gedanken
unter die Leute bringen

so regieren
dass nichts verdirbt
Geist und Geister
im gleichen Geist

„Nichts anbrennen zu lassen" ist ein Bild für „so regieren, dass nichts verdirbt". Um dein Leben so zu regieren, brauchst du ein gleichmäßiges Feuer – Ausgewogenheit, die Gegensätze gelten lässt. Dann haben „Geist und Geister" – alle bösen Geister zusammen mit dem allverbindenden Geist der Einheit – ihren Platz „im gleichen Geist". Solche Weitherzigkeit schenkt uns das leuchtende Feuer des DAO in uns.

61

Ein großer Staat
muss sein wie ein Fluss
Bewegung und Sammlung
im Schoß

in die Stille
zieht das Weibliche
das Männliche

und so
unterwirft sich
ein großes Land
einem kleinen
und gewinnt's

und das kleine Land
unterwirft sich dem großen
und gewinnt's

im Nachgeben
den Gegner mitnehmen

das große Land
bietet Schutz
das kleine Land
bietet Hilfe

so hat jedes
was es vom anderen braucht

der Platz vom Großen
aber ist unten

„Der Platz vom Großen aber ist unten." Der Satz gilt nicht nur in der Weltpolitik, sondern ganz allgemein. Das verlangt radikales Umdenken von uns allen. Schon Kinder können lernen, den Menschen am unteren Ende der gesellschaftlichen Hierarchie Achtung und Dank zu erweisen – der großen Masse derer, die für das Wohl der Gesellschaft gewiss nicht weniger tun als die sogenannte Oberschicht.

62

DAO
das ist:
die zehntausend Wesen
im Fluss
ein Schatz
für die Guten
und auch für die
die nichts Gutes im Sinn haben

ein Verkäufer
schwatzt
ein Vorbild
wirkt

die nichts Gutes
im Sinn haben
wer kann sie
zurückhalten?

da braucht's
einen Draht zum Himmel
und Diener des Rechts

aber auch wenn diese
den Stein der Weisheit hätten
sollten sie besser

nicht aufstehen
wenn sie im Wagen
durchs Land fahren

warum haben unsre Vorfahren
DAO so geschätzt
obschon man damit
weder prunken kann
noch strafen?

eben deshalb
haben sie's geschätzt

„Die nichts Gutes im Sinn haben, wer kann sie zurückhalten?“ Das ist wohl die schwierigste Frage für jede Gesellschaft. Leider könnte die Antwort lauten: Niemand kann sie zurückhalten. Was aber dann? Es bleibt uns das Vertrauen, dass „die zehntausend Wesen im Fluss“ – durch das DAO als ihr innerstes Wesen – auch das Verirrte zum Guten wenden können, so wie Flüsse im Fließen sich selber reinigen.

63

Das Nicht-Tun
tun
leiten
ohne zu lenken
schmecken
was nach nichts schmeckt

im Kleinen
das Große sehen
in wenig
viel
im Hass
die Begegnung

das Schwere angehen
solang es noch leicht ist
Großes bewegen
solang es noch klein ist

zu schwierig
die Welt:
fang mit dem Leichten an
zu schwierig
die Welt:
suche die Lösung im Unscheinbaren

nichts Großes unternehmen
macht Großes möglich

dem glaubt man nicht
der groß daherschwafelt
nimmt's einer zu leicht
wird's schnell mal schwierig

drum:
eine Sache so angehen
als wäre sie schwer
das macht sie leicht

„Im Kleinen das Große sehen, in wenig viel" – das leuchtet ein, aber „im Hass die Begegnung" zu finden, das verlangt viel. Und doch: Hass ebenso wie Liebe, beide setzen ein Zusammengehören voraus – Begegnung, Gegenseitigkeit. Wir können also „Ja" sagen zu unserer gegenseitigen Zugehörigkeit und dieses Ja leben. Das aber ist Liebe: gelebtes Ja zur Zugehörigkeit. So verwandelt Begegnung Hass in Liebe.

64

Ein stilles Ding
kann man gut heben
ins Offene hinein
lässt sich leicht planen
Brüchiges
löst sich schnell auf
Winziges
verteilt sich rasch

am größten der Einfluss
bevor etwas da ist
sinnvoll sich auf Regeln einigen
noch bevor gespielt wird

ein Baum
vom Umfang vieler Armlängen
war einmal
ein winziger Spross.

ein Altan
mit neun Stufen
ruht auf einem
Haufen Dreck

ein Marsch von
zehntausend Meilen

fängt an mit
einem Schritt

wer sich einmischt
wird geschlagen
wer sich anklammert
verliert

keine Einmischung
keine Niederlage

nichts im Griff
nichts gleitet aus der Hand

vieles schlägt fehl
kurz bevor's fertig wäre

am Ende
so genau
wie am Anfang:
so gelingt's

drum:
nichts wollen wollen
vor allem nicht das
was alle wollen

lernen zu verlernen
aber zweimal schauen
wo niemand hinschaut
so wird das
was ist
das
was es sein kann

und niemand greift ein

„Nichts wollen“ ist nicht so schnell erlernt, aber „nichts wollen wollen“ ist wenigstens ein guter Anfang. Damit beginnt ein Prozess: Dann wird „das, was ist, das, was es sein kann“. Dieses hohe Ziel erreicht nur die hohe Tugend der Gelassenheit. Nur Gelassene können liebend loslassen, ohne im Stich zu lassen. Kinder haben Gelassenheit, bis unser Schulsystem sie ihnen austreibt. Das muss nicht so sein.

65

Die Meister von früher
haben niemanden schlau gemacht
die Schlauen
lassen sich nicht führen

durch Wissen führen
führt zur Pleite
durch Nichtwissen führen
bringt Glück

wer das weiß
den überkommt eine Ahnung
vom Wissen
ohne Wissen
das tief innen
alles zusammenhält

Wenn wir „lernen, zu verlernen", wie es im vorigen Abschnitt heißt, und stattdessen lernen, „zweimal zu schauen, wo niemand hinschaut", dann dürfen wir hoffen, vom „Wissen", das aus Vorurteilen besteht, fortzuschreiten hin zu jenem „Wissen ohne Wissen", „das tief innen alles zusammenhält" – die kosmische Weisheit, von der uns in unseren besten Augenblicken eine Ahnung überkommt. Um die ging es den alten Meistern.

66

Ströme und Meer:
wie beherrschen sie
hunderte Täler?
das Gefälle
gibt ihnen Macht
über hunderte Täler

wer die Leute beherrschen will
muss sich ihnen unterordnen
wer an die Spitze will
muss ans Ende gehen

so wird
wer herrscht
nicht zur Last
und richtet keinen Schaden an
seiner Herrschaft
dient man gern

niemand auf der Welt
muss um den vordersten Platz kämpfen

Hier wird eine Gesellschaftsordnung dargestellt, die unsere heute vorherrschende von Grund auf revolutioniert. In unserer Gesellschaft muss jeder mit aller Kraft „um den vordersten Platz kämpfen". Das ist die Grundregel der Machtpyramide – die uns heute an den Rand der Selbstvernichtung bringt. Die Natur kann uns retten. Sie lehrt uns, was für „hundert Täler" Lebensfülle bringt: „das Gefälle" – Unterordnung und Einordnung.*

67

„Du mit deinem DAO
zu groß für die Welt!“
wär’s nicht so
dann wär’s nicht DAO

sei’s drum
aber diese drei Schätze
lasse ich mir
doch nicht nehmen:
Liebe
Genügsamkeit
keinen Ehrgeiz haben

Liebe
macht Mut
Genügsamkeit
macht großzügig
fehlender Ehrgeiz
macht Platz für Talent

mutig ohne Liebe
ungenügsam großzügig
talentiert aus reinem Ehrgeiz:
geradeaus
in den Absturz

kämpfen
mit Liebe
ist schon der Sieg
so wie der Himmel
unfehlbar
alles Lebendige
für sich gewinnt

Und wie gewinnt „der Himmel unfehlbar alles Lebendige für sich“? Durch Liebe – definiert als „das gelebte Ja zur Zugehörigkeit“. Schon der blaue Himmel hält bildlich die Welt zusammen. Auch „der Himmel“ im Sinne jener Urkraft, die in allen physischen und psychischen Kräften wirkt, will als Kraft der Liebe verstanden sein, welche „die Welt im Innersten zusammenhält“.* „Liebe macht Mut“ zum Einssein.

68

Wer sich zu wehren weiß
tut's ohne Waffen
wer zu kämpfen versteht
tut's ohne Wut
wer zu siegen weiß
lässt ab vom Gegner
wer Menschen braucht
begibt sich unter sie

das ist der Weg
ohne Streit
das ist die Kunst
die Kraft der Anderen zu nutzen
das heißt
sich mit dem Höchsten
verbünden

Was ist denn dieses „Höchste“, mit dem sich der friedliebende Mensch „verbündet“? Das ist „der Weg“ – DAO –, „der Weg ohne Streit“, denn DAO ist gewaltfrei. DAO ist der spontane Fließweg alles Lebendigen. Wir Menschen können unsren Lebensweg von diesem Höchsten gestalten lassen oder uns auf den Weg der Gewalt versteifen. Was sich jedoch dem Fließweg widersetzt, verursacht lebenszerstörendes Chaos.*

69

Ein Wort zum Einsatz von Waffen:
„bin nicht Herr sondern Gast
statt einem vorwärts
mach ich einen Schritt zurück“

das heißt:
vorankommen
ohne vorzurücken
abwehren
ohne zuzuschlagen
Hände
ohne Waffen
Angriff
ohne Feindbild

Kein größeres Unglück
als leichtsinnig auf den Feind los
leichtsinnig auf den Feind los
heißt seine Schätze verlieren

von zwei Gegnern
gewinnt jener
der sein Mitleid
nicht verliert

„Zum Einsatz von Waffen“, aber auch in allen anderen Lebenslagen, gilt das Wort: „Bin nicht Herr, sondern Gast“ in diesem Leben. „Statt einem vorwärts, mach ich einen Schritt zurück“: Statt Ziele zu setzen, horche ich hin, was das Leben in diesem Augenblick verlangt. Wo ich in das Leid des Lebenskampfes verwickelt werde, ist „Mitleid“ am Platz: Auch der „Gegner“ leidet ja. „Gegner?“ Vielleicht. Nie aber Feind!

70

Leicht zu verstehen
meine Worte
leicht danach zu handeln

niemand kann sie verstehen
niemand handelt danach
in dieser Welt

Worte haben eine Geschichte
Taten einen Täter

weiß man das nicht
kennt man mich nicht

ein paar Versprengte
verstehen mich
und schätzen mich hoch

Weisheit
geht in Fetzen und Lumpen
darunter versteckt
ein Diamant

Laozi scheint hier seine Erfahrung als Lehrer zusammenzufassen. Den Schlüssel gibt uns der Vers: „Worte haben eine Geschichte, Taten einen Täter." Die Geschichte der Worte im Daodejing beginnt nicht mit Laozi. Er ist nicht Urheber, sondern schöpft aus uralter Weisheit. Nur wenige verstehen ihn. Klingt hier Resignation an? Vielleicht. Jedoch auch Freude an der unter Bettlerfetzen versteckten Weisheit.

71

vom Nicht-Wissen
wissen
ist Erleuchtung
vom Nicht-Wissen
nicht wissen
ist Leiden
am Leiden leiden
hebt Leiden auf

Weisheit ist
nicht leiden
am Leiden

Was dem Leiden ein Ende macht, wollen wir wohl alle wissen. Hier erfahren wir allerdings nicht, was es beendet, sondern was es – in dreifachem Sinne – „aufhebt“. „Am Leiden leiden, hebt Leiden auf“: hebt es 1. auf eine neue Verständnisebene: Es wird zum Anstoß, das Leid aller Wesen zu lindern; 2. beendet es ein passives Erleiden, denn es wird zum Mitleiden; 3. bewahrt es als aktives Mitleid. Leid – als Mitleid – gehört zum vollen Lebendigsein.

72

Geht Ehrfurcht verloren
folgt Schrecken nach

wenn's den Leuten
gut geht
soll man sie lassen
und ihnen das Leben
nicht schwer machen
dann machen auch sie
es denen die führen
nicht schwer

Weisheit:
sich kennen
statt
sich bewundern lassen

Nichts ist unserer Gesellschaft gründlicher verloren gegangen als Ehrfurcht – vor DAO. Darum wissen wir aus Erfahrung, was es heißt: „Geht Ehrfurcht verloren, folgt Schrecken nach." Wir kennen den Schrecken des Chaos. Wir könnten erkennen, wo es herstammt, und umkehren zur Ordnung, die DAO entspringt. Dazu fehlt uns aber die Weisheit: Uns mangelt Selbsterkenntnis; stattdessen suhlen wir uns in Selbstbewunderung.

73

Wagemut
lässt töten
Zagemut
lässt leben

beides bringt Schaden
bringt Nutzen

wer weiß schon
was der Himmel
will und nicht will?

da kommt auch der
Abgeklärteste ins Grübeln

der himmlische Weg ist:
ohne Streit gewinnen
ohne Wort antworten
ohne Befehl
herkommen lassen
mit einem offenen Herzen
kalkulieren

das Netz des Himmels
hat weite Maschen
lässt aber nichts fallen

„Wer weiß schon, was der Himmel will und nicht will?" Und doch ist es schon viel zu wissen, dass der Himmel überhaupt etwas von uns will. Ja, alles hängt ab von der Einsicht, dass die letzte, allumfassende Wirklichkeit etwas wie eine Willensrichtung hat. Das erlaubt uns zu forschen, was „der himmlische Weg" zum Unterschied vom Weg des Schreckens ist – zu versuchen, ihm zu folgen „mit einem offenen Herzen".

74

Haben die Leute keine Angst
vor dem Tod
wie kann dann Todesstrafe abschrecken?
oder:
man macht den Leuten Angst
vor dem Tod
lässt die Gesetzlosen töten
wer wagt dann noch gesetzlos zu sein?

das heißt aber
nie aufhören mit töten
ständig muss jemand
wie der große Zimmermann
Holz behauen

selten ein Zimmermann
der noch alle zehn Finger hat

Hier geht es um die Todesstrafe, und die ist nicht Sache des Scharfrichters. Die ganze Gesellschaft ist mitverantwortlich. Jede und jeder von uns hat Anteil an diesem Töten, am „Holz Behauen". An uns richtet sich die Warnung: „Selten ein Zimmermann, der noch alle zehn Finger hat." „Wer das Schwert ergreift, wird durch das Schwert umkommen", warnt Jesus (Matthäus 26,52). Doch bis heute der Irrsinn der Todesstrafe.

75

Hunger im Volk
die Oberen
füllen sich säckeweise
den Bauch

drum so viel Hunger

Aufruhr im Volk
die Oberen
haben die Hände voll
können drum nicht führen

alltäglich der Tod
die Oberen
reißen Leben an sich
drum so alltäglich der Tod

wer nichts hat
als sein Leben
umso wertvoller
ist ihm das Leben

Hier zeichnet Laozi ein Bild seiner Zeit, das auch auf die unsrige passt. Was er da vom „Hunger im Volk“ und „Aufruhr im Volk“ sagt, gilt heute für die ganze Welt. Mir gibt es Mut, dass ein Zeitalter solchen Schreckens uns einen solchen Weisen schenken konnte. Wie viel Weisheit reift nicht vielleicht auch heute irgendwo und ein Sternkind wächst heran, das wegweisend werden wird für die Zukunft unserer Welt.

76

Der Mensch
kommt ins Leben
weich und schwach
geht in den Tod
hart und stark

die zehntausend Wesen
Kräuter und Hölzer
wachsen weich und zart
sterben ab
trocken und hart

Härte und Stärke
dienen dem Tod
Weichsein und Schwäche
dienen dem Leben

ein starkes Heer
kann nichts einnehmen
starkes Holz
wird zur Lanze

stark und groß
geht unter
weich und schwach
wächst empor

Die Grundeinsicht, dass das scheinbar Schwache das scheinbar Starke besiegt, wird auch im chinesischen Originaltext bis zur Unzumutbarkeit überspitzt ausgedrückt. „Ein starkes Heer kann nichts einnehmen." Ist das nicht geschichtlich tausendfach widerlegt? Was gemeint ist: Ein starkes Heer zerstört zwar, aber es siegt nicht. Und ist der Tod wirklich durch Stärke gekennzeichnet? Wohl kaum. „Starr" zu lesen, wo „stark" steht, ist einleuchtender; und „fügsam" statt „schwach". Aber die Übertreibung* will uns wachrütteln: Hier geht es um radikales Umdenken.**

77

Himmlisches DAO
vielleicht so
wie ein gespannter Bogen?

drückt hinunter
was zu hoch ist
zieht hinauf
was unten ist
wo zu viel ist
wird weggenommen
wo zu wenig ist
dazugetan

so der Himmel:
baut Überfluss ab
füllt auf
wo etwas fehlt

aber der Mensch:
nimmt von dem
der wenig hat
und gibt dem
der eh schon hat

wer kann
was er hat
der Welt geben?

nur
wer DAO hat

einsehen
aber nicht behaupten
vollenden
aber nicht beharren
Weisheit
im Stillen
wirken lassen

„Der Mensch“ verstößt immer wieder gegen DAO: „Von dem, der wenig hat, nimmt er und gibt dem, der sowieso hat.“ Die Armen werden ärmer, die Reichen reicher. Die ökonomische Schere klafft. Auch das Jesuswort „Wer hat, dem wird gegeben; wer aber nicht hat, dem wird auch noch weggenommen, was er hat“ (Markus 4,25) könnte im ursprünglichen Zusammenhang gesellschaftskritisch gemeint gewesen sein.

78

Nichts unterm Himmel
ist so weich und so sanft
wie Wasser

und nichts ist so mächtig

auf die Dauer
kann ihm nichts
Hartes widerstehen

Geduld lässt
Gewalt nachgeben
Starrsinn ins Leere laufen

man wüsste es
aber getraut sich
dann doch nicht

alte Weisheit:
durch den Dreck
zu den Sternen

im Verlust
gewinnst du den Himmel

im Unglück
gewinnst du die Welt

verdreht im Wort
liegt die Wahrheit

„Man wüsste es, aber getraut sich dann doch nicht“ – ist das nicht immer wieder das Haupthindernis auf unserem Weg zu einem erfüllten Leben? Wie also den nötigen Mut finden? Durch Geduld. „Geduld lässt Gewalt nachgeben.“ Geduldig nach jedem Versagen es doch immer wieder aufs Neue wagen in den kleinen und größeren Herausforderungen des Alltags. Darauf vertrauen: Steter Tropfen höhlt den Stein.

79

Friede
wird bitter
durch den kleinsten
Rest von Rachsucht

so ein Frieden
macht niemanden zufrieden

weitsichtig ist:
den Kürzeren ziehen
und niemandem die Schuld geben

Schuld tilgen
statt Schuld nachzutragen
macht den Unterschied aus
zwischen
Großmut und Hochmut

der Himmel
gehört keiner Partei

„Schuld tilgen, statt Schuld nachzutragen, macht den Unterschied aus zwischen Großmut und Hochmut." Schuld und Befreiung aus der Verstrickung in Schuld sind immer wiederkehrende Anliegen im menschlichen Zusammenleben. Herzensfriede und Friede in der Welt hängen zusammen. Du kannst zum Weltfrieden beitragen: „den kleinsten Rest von Rachsucht" in deinem Herzen aufdecken und überwinden.

80

klein
müsste das Land sein:
locker bewohnt
wenig Werkzeug
kaum Waffen
kein Todesmut
kein Fernweh
Fahrzeuge und Schiffe
werden kaum gebraucht
Helme und Waffen
im Keller vergraben

mit Fingern und Zehen
wird gerechnet und geschrieben

gutes Essen
hübsche Kleider
Dach überm Kopf
angenehme Gesellschaft

nicht weit das nächste Land
von dort
hört man Hühner und Hunde
stört sich an nichts

leben und
leben lassen

Ist diese Darstellung eines Goldenen Zeitalters hier als mythisches Idealbild gemeint oder als praktisch zu verwirklichende Anweisung? Niemand kann das Rad der Geschichte zurückdrehen, jedoch kann ein Leitbild, auch ein utopisches, die Zukunft entscheidend mitbestimmen. „Leben und leben lassen“ fasst das Wesentliche zusammen. Es bleibt auch heute noch unerlässlicher Grundsatz für unser Überleben.

81

Wahrreden
ist nicht Schönreden
Schönreden
ist nicht
Wahrreden

behaupten
ist nicht Rechthaben
im Recht sein
ist nicht behaupten

ganz genau wissen
und trotzdem keine Ahnung
eine Ahnung vom Ganzen
ohne genau zu wissen

der Gute
stapelt nicht Güter
sein Gut wächst
beim Geben

die Himmelsmacht
teilt aber trennt nicht

weit wird
wer wirkt ohne Streit

Wer immer es war, der in grauer Vorzeit diesen Abschnitt zum Abschluss des Buches machte,* wollte offenbar wichtige Einsichten am Ende nochmals herausstellen: Hier geht es um das unbehübscht Echte – nicht um Behauptungen, sondern um „eine Ahnung vom Ganzen, ohne genau zu wissen", und um ein Friedenstiften, bei dem das Herz „weit wird" wie der Himmel, der das ganze All umarmt.

Nachwort

Am Anfang war es eine Spielerei: Was geschieht, wenn ich einzelne Verse des Daodejing, das mich schon mein halbes Leben lang begleitete, in meine Alltagssprache übertrage? Bleiben diese Verse so unergründlich dunkel, wie sie in vielen Übersetzungen daherkommen?

Ich bin zwar nicht der Meinung, dass der Dialekt in irgendeiner Weise echter oder wahrhaftiger ist als die Hochsprache. Aber die Mundart kann andere Farben und Töne ins Spiel bringen. Wenn das Chinesische und das Berndeutsche auch weit auseinanderliegen, eine Gemeinsamkeit haben sie doch: Eine Vorliebe für kurze, akustisch und optisch prägnante Wörter. Die meisten chinesischen Wörter sind einsilbig, wenige zweisilbig. Auch der Dialekt hat eine Vorliebe für kompakte Wörter. Viele Wörter sind im Dialekt kürzer als in der Hochsprache. *ds gheimnis vum gheimnis* ist rhythmisch prägnanter als *das Geheimnis des Geheimnisses.*

Dennoch überzeugten mich meine ersten Versuche nur halbwegs, und so ich ließ die Sache auf sich beruhen. Aber in meinem Ohr hatte sich etwas festgesetzt. Eine Melodie, ein Rhythmus, kurz: ein Ohrwurm, der mir keine Ruhe lassen wollte.

Vielleicht gibt es deshalb so viele Übertragungen des Daodejing, weil dieser Text Eigenschaften eines alten Liedes hat, das sich durch all die Varianten stets erneuert. Mich jedenfalls zwang der Ohrwurm immer wieder an den Schreibtisch zurück, bis ich, zehn Jahre nach den ersten Versuchen, die 81 Sprüche in Dialektform vor mir hatte: Das Mundart-Daodejing, schlank und rank wie ein gepfiffenes Liedchen. In der Tat hat das Daodejing etwas Pfiffiges. Bei aller metaphysischen Tiefe ist dieser alte Text auch humorvoll, verspielt und voller Sprachwitz.

würd niemer lache
DO wär nid DO

würde niemand lachen
DAO wäre nicht DAO

Als mich der Berner Verleger Bernhard Engler – von ihm stammte die Idee einer Mundartfassung des Daodejing ursprünglich – fragte, was ich mir denn von der Publikation des Büchleins im Lokwort-Verlag erhoffte, sagte ich: „Dass es in die richtigen Hände gelange." Wenn ich sehe, mit welcher Hingabe und Energie sich Bruder David dieses Textes angenommen hat, kann ich nur sagen: Der Wunsch hat sich erfüllt. Und die alte Melodie ist um eine Variante reicher geworden.

Balts Nill, im November 2023

Dank

Abschließend ist es uns ein Anliegen, allen, die am Zustandekommen dieses Buches mitgewirkt haben, zu danken. Sobald wir aber nachzudenken beginnen, wer alles in irgendeiner Form mitgewirkt hat, stoßen wir auf eine unübersehbare Anzahl von Menschen, die uns zu diesem Projekt inspiriert haben, denen wir wichtige Einsichten verdanken oder die mit ihrer täglichen Arbeit etwa am Wachsen der Bäume und an der Herstellung des Papiers und der Druckmaschinen mitgewirkt haben. Einige wenige möchten wir hier dennoch namentlich nennen: Wir danken dem Tyrolia-Verlag mit Verlagsleiter Mag. Gottfried Kompatscher und Grafiker Gerhard Bucher für die schöne und sorgfältige Gestaltung des Buches sowie unserem Lektor Mag. Klaus Gasperi für seine aufmerksamen Rückmeldungen zum Manuskript. Weiters danken wir Stefan Heis für das Korrekturlesen und den Mitarbeiterinnen und Mitarbeitern der Druckerei für die Herstellung des Buches sowie allen Buchhändlerinnen und Buchhändlern, die sich für dessen Verbreitung einsetzen. Unser größter Dank aber gilt letztlich der Tatsache, dass wir alle eingebunden sind in ein weltweites Netz von Beziehungen und dass wir mit diesem Buch am Aufbau dieser Zusammengehörigkeit mitarbeiten durften.

David Steindl-Rast und Balts Nill

Anmerkungen

Die Ziffern beziehen sich auf die Nummern der Texte.

4*

Vergleiche Johannes 3,8: Der Wind weht, wo er will; du hörst sein Brausen, weißt aber nicht, woher er kommt und wohin er geht.

7*

Ein Traum, ein Traum ist unser Leben
auf Erden hier.
Wie Schatten auf den Wogen schweben
und schwinden wir.
Und messen unsere trägen Schritte
nach Raum und Zeit;
und sind – und wissen's nicht – in Mitte
der Ewigkeit.

Johann Gottfried Herder (1744–1803)

15*

Die Kunst des Verschwindens

Wenn jemand sagt, wir kennen uns doch, sag Nein.
Wenn sie dich zu einer Party einladen
vergiss nicht, wie's bei Partys zugeht,
bevor du antwortest.
Jemand erzählt dir mit lauter Stimme,
Ich habe ein Gedicht geschrieben.
Fette Fleischklößchen auf einem Pappteller.
Dann antworte.
Wenn jemand sagt, wir sollten uns doch
wiedersehen,
sag, warum? Nicht, dass du sie nicht mehr magst,
du versuchst nur, dich an etwas zu erinnern,
zu wichtig, um es zu vergessen.
Bäume.
Die Klosterglocken im Zwielicht.
Sag, du hast etwas Neues vor.
Du wirst nie damit fertig werden.
Wenn jemand dich am Bauernmarkt erkennt,
nicke ihm kurz zu und verwandle dich in einen
Kohlkopf.
Wenn jemand, den du seit zehn Jahren nicht gesehen
hast,
an deiner Tür auftaucht,
fang gar nicht an, ihm deine neuen Lieder
vorzusingen.
Du wirst niemals aufholen.

Sei von nun an wie ein Herbstblatt.
Denk daran, dass du jeden Augenblick abfallen
kannst.
Dann entscheide, was du anfangen willst mit deiner
Zeit.

*Naomi Shihab Nye (*1952)*

The Art of Disappearing

When they say Don't I know you? say no.
When they invite you to the party
remember what parties are like
before answering.
Someone telling you in a loud voice
they once wrote a poem.
Greasy sausage balls on a paper plate.
Then reply.
If they say we should get together.
Say why? It's not that you don't love them anymore.
You're trying to remember something
too important to forget.
Trees.
The monastery bell at twilight.
Tell them you have a new project.
It will never be finished.
When someone recognizes you in a grocery store
nod briefly and become a cabbage.
When someone you haven't seen in ten years

appears at the door,
don't start singing him all your new songs.
You will never catch up.
Walk around feeling like a leaf.
Know you could tumble any second.
Then decide what to do with your time.

*Naomi Shihab Nye (*1952)*

15**

Ich habe dich so lieb

Ich habe dich so lieb!
Ich würde dir ohne Bedenken
eine Kachel aus meinem Ofen
schenken.

Ich habe dir nichts getan.
Nun ist mir traurig zu Mut.
An den Hängen der Eisenbahn
Leuchtet der Ginster so gut.

Vorbei – verjährt –
Doch nimmer vergessen.
Ich reise.
Alles, was lange währt,
ist leise.
Die Zeit entstellt
alle Lebewesen.

Ein Hund bellt.
Er kann nicht lesen.
Er kann nicht schreiben.
Wir können nicht bleiben.

Ich lache.
Die Löcher sind die Hauptsache
an einem Sieb.

Ich habe dich so lieb.

Joachim Ringelnatz (1883–1934)

20*

Vergleiche aus der biblischen Tradition:
„Ich bin zur Ruhe gekommen, mein Herz ist zufrieden und still. Wie ein kleines Kind in den Armen seiner Mutter, so ruhig und geborgen bin ich bei dir!" (Psalm 131,2)
„Jesus sprach: Ich preise dich, Vater, Herr des Himmels und der Erde, dass du dies vor Weisen und Klugen verborgen, es Einfältigen aber offenbart hast." (Matthäus 11,25)

20**

In seinem dichterischen Selbstbildnis „Der Isegrimm" klingt Joseph Freiherr von Eichendorff

„ermattet und wunschlos“ im Sinne von Spruch 20. „Pasquill“ ist ein veraltetes Wort für eine verletzende Spottschrift.

Der Isegrimm

Aktenstöße nachts verschlingen,
schwatzen nach der Welt Gebrauch,
und das große Tretrad schwingen
wie ein Ochs, das kann ich auch.

Aber glauben, dass der Plunder
eben nicht der Plunder wär,
sondern ein hochwichtig Wunder,
das gelang mir nimmermehr.

Aber andre überwitzen,
dass ich mit dem Federkiel
könnt den morschen Weltbau stützen,
schien mir immer Narrenspiel.

Und so, weil ich in dem Drehen
da steh oft wie ein Pasquill,
lässt die Welt mich eben stehen –
mag sie's halten, wie sie will!

Joseph Freiherr von Eichendorff (1788–1857)

23*

Oh Mensch! Gib Acht!
Was spricht die tiefe Mitternacht?
„Ich schlief, ich schlief –,
„aus tiefem Traum bin ich erwacht: –
„Die Welt ist tief,
„und tiefer als der Tag gedacht.
„Tief ist ihr Weh –,
„Lust – tiefer noch als Herzeleid:
„Weh spricht: Vergeh!
„Doch alle Lust will Ewigkeit –
„– will tiefe, tiefe Ewigkeit!" –

Aus „Also sprach Zarathustra" von Friedrich Nietzsche (1844–1900)

23**

Der römische Brunnen

Aufsteigt der Strahl und fallend gießt
er voll der Marmorschale Rund,
die, sich verschleiernd, überfließt
in einer zweiten Schale Grund;
die zweite gibt, sie wird zu reich,
der dritten wallend ihre Flut,
und jede nimmt und gibt zugleich
und strömt und ruht.

Conrad Ferdinand Meyer (1825–1898)

28*

Nur wer die Leier schon hob
auch unter Schatten,
darf das unendliche Lob
ahnend erstatten.

Nur wer mit Toten vom Mohn
aß, von dem ihren,
wird nicht den leisesten Ton
wieder verlieren.

Mag auch die Spieglung im Teich
oft uns verschwimmen:
Wisse das Bild.

Erst in dem Doppelbereich
werden die Stimmen
ewig und mild.

Aus den Sonetten an Orpheus (I,9)
von Rainer Maria Rilke (1875–1926)

31*

Vergleiche Deuteronomium 30,20: Leben und Tod lege ich dir vor, Segen und Fluch. Wähle also das Leben, damit du lebst, du und deine Nachkommen.

32*

So wie dem Meister manchmal das eilig
nähere Blatt den *wirklichen* Strich
abnimmt: so nehmen oft Spiegel das heilig
einzige Lächeln der Mädchen in sich,

wenn sie den Morgen erproben, allein, —
oder im Glanze der dienenden Lichter.
Und in das Atmen der echten Gesichter,
später, fällt nur ein Widerschein.

Was haben Augen einst ins umrußte
lange Verglühn der Kamine geschaut:
Blicke des Lebens, für immer verlorne.

Ach, der Erde, wer kennt die Verluste?
Nur, wer mit dennoch preisendem Laut
sänge das Herz, das ins Ganze geborne.

Aus den Sonetten an Orpheus (II,2)
von Rainer Maria Rilke (1875–1926)

40*

Der Pilger

Man setzt uns auf die Schwelle,
wir wissen nicht, woher?
Da glüht der Morgen helle,
hinaus verlangt uns sehr.

Der Erde Klang und Bilder,
tiefblaue Frühlingslust,
verlockend wild und wilder,
bewegen da die Brust.
Bald wird es rings so schwüle,
die Welt eratmet kaum,
Berg', Schloss und Wälder kühle
stehn lautlos wie im Traum,
und ein geheimes Grausen
beschleichet unsern Sinn:
Wir sehnen uns nach Hause
und wissen nicht, wohin?

Joseph von Eichendorff (1788–1857)

47*

Vergleiche die „Kurze Regel" von St. Romuald (942–1027): „Sitze in deiner Zelle wie im Paradies. Wirf die ganze Welt hinter dich und vergiss sie."

55*

Vergleiche Matthäus 18,3: „Wenn ihr nicht umkehrt und werdet wie die Kinder, werdet ihr nicht in das Himmelreich hineinkommen."

66*

Vergleiche Markus 10,42-44: „Jesus sprach: Ihr wisst, die als Herrscher gelten, halten ihre Völker nieder, und ihre Mächtigen tun ihnen Gewalt an. Aber so soll es unter euch nicht sein; sondern wer groß sein will unter euch, der soll euer Diener sein; und wer unter euch der Erste sein will, der soll aller Knecht sein."

67*

Vergleiche die Aussage „dass ich erkenne, was die Welt im Innersten zusammen hält" aus dem „Faust" (I,380) von Johann Wolfgang Goethe (1749–1832)

68*

Vergleiche Matthäus 5,43–45: „Ihr habt gehört, dass gesagt ist: ‚Du sollst deinen Nächsten lieben und deinen Feind hassen.' Ich aber sage euch: ‚Liebet eure Feinde; segnet, die euch fluchen; tut wohl denen, die euch hassen; bittet für die, welche euch beleidigen und verfolgen, sodass ihr Kinder seid eures Vater im Himmel; denn er lässt seine Sonne aufgehen über die Bösen und über die Guten und lässt regnen über Gerechte und Ungerechte.'"

76*

Vergleiche als Beispiele rhetorischer Übertreibung Markus 10,25: „Eher geht ein Kamel durch ein Nadelöhr, als dass ein Reicher in das Reich Gottes gelangt.“ Und Lukas 14,26: „Wenn jemand zu mir kommt und hasst nicht seinen Vater, Mutter, Frau, Kinder, Brüder, Schwestern, dazu auch sein eigenes Leben, der kann nicht mein Jünger sein.“

76**

In der christlichen Tradition heißt dieses Umdenken, auf Griechisch „metanoia“ (μετάνοια). Paulus sagt: „Wenn ich schwach bin, dann bin ich stark“ (Zweiter Korintherbrief 12,10). „Denn die göttliche Torheit ist weiser, als die Menschen sind, und die göttliche Schwachheit ist stärker, als die Menschen sind.“ (Erster Korintherbrief 1,25)

Die Autoren

Balts Nill,
geboren 1953 in Bern, studierte Germanistik und Philosophie. Als Musiker und Autor ist er an zahlreichen musikalisch-literarischen Projekten beteiligt. Er gründete zusammen mit Endo Anaconda die Band «Stiller Has», deren Dialektsongs im ganzen deutschen Sprachraum bekannt wurden. Seine Übertragung des Daodejing ins Bernerdeutsche erschien 2020 unter dem Titel «vo wäge DO» und diente als Vorlage für die Übertragung in diesem Buch.

David Steindl-Rast,
geboren 1926 in Wien, studierte Psychologie und Anthropologie. Als Benediktinermönch und Autor unternahm er viele Vortragsreisen. Er gründete zusammen mit Daniel Uvanovic das «Netzwerk Dankbar Leben» dessen englische, deutsche und spanische Websites häufig besucht werden. Als weltweit geschätzter Brückenbauer im interreligiösen Dialog hat David Steindl-Rast nicht nur sehr erfolgreiche Bücher zur jüdisch-christlichen, sondern auch zur muslimischen Spiritualität verfasst. Seine Bücher über das *Vaterunser*, das *Credo* und die *99 Namen Gottes* sind in zahlreichen Auflagen und Übersetzungen erschienen. In diesem Buch beschäftigt er sich nun erstmals mit der chinesischen Weisheitslehre.

Quellennachweis:

„Legende von der Entstehung des Buches Taoteking“ von Bertolt Brecht, aus: Werke. Große kommentierte Berliner und Frankfurter Ausgabe, Band 12: Gedichte 2. Sammlungen 1938–1956

MIX
Papier aus verantwortungsvollen Quellen
FSC® C014138

Nachhaltige Produktion ist uns ein Anliegen; wir möchten die Belastung unserer Mitwelt so gering wie möglich halten. Über unsere Druckereien garantieren wir ein hohes Maß an Umweltverträglichkeit: Wir lassen ausschließlich auf FSC®-Papieren aus verantwortungsvollen Quellen drucken und verwenden Farben auf Pflanzenölbasis. Wir produzieren in Österreich und im nahen europäischen Ausland, auf Produktionen in Fernost verzichten wir ganz.

Mitglied der Verlagsgruppe „engagement“

2. Auflage 2024

Lektorat: Klaus Gasperi, Zwischenwasser (A)
Umschlaggestaltung und Layout: Tyrolia-Verlag, Innsbruck, unter Verwendung des chinesischen Zeichens Dào, das Weg oder Pfad bedeutet.
Druck und Bindung: FINIDR, Tschechien
ISBN 978-3-7022-4177-3 (gedrucktes Buch)
ISBN 978-3-7022-4178-0 (E-Book)
E-Mail: buchverlag@tyrolia.at
Internet: www.tyrolia-verlag.at
Das Gesamtverzeichnis seiner Werke und viele weitere Informationen zu Bruder David Steindl-Rast finden Sie im Internet unter www.bibliothek-david-steindl-rast.ch.